Bienvenidos
al mundo del

✳ CLUB DE TEA ✳

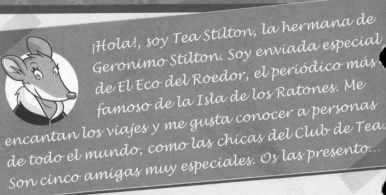

¡Hola!, soy Tea Stilton, la hermana de Geronimo Stilton. Soy enviada especial de El Eco del Roedor, el periódico más famoso de la Isla de los Ratones. Me encantan los viajes y me gusta conocer a personas de todo el mundo, como las chicas del Club de Tea. Son cinco amigas muy especiales. Os las presento…

Colette siente verdadera pasión por el color rosa y es la chica más *fashion* del grupo. Cuida mucho de su look y… ¡siempre llega tarde!

VioLet es muy estudiosa y le gusta aprender cosas nuevas. Le encanta la música clásica y sueña con ser una violinista famosa.

Índice

VIDA EN RATFORD

❑ 1. Escenas de amor en Ratford

❑ 2. El diario secreto de Colette

❑ 3. El Club de Tea en peligro

❑ 4. Reto a paso de danza

❑ 5. El proyecto supersecreto

❑ 6. Cinco amigas y un musical

❑ 7. El camino a la fama

❑ 8. ¿Quién se esconde en Ratford?

❑ 9. Una misteriosa carta de amor

❑ 10. El sueño sobre hielo de Colette

❑ 11. Un, dos, tres... ¡se rueda en Ratford!

❑ 12. Top model por un día

❑ 13. Misión mar limpio

❑ 14. El club de las poetisas

❑ 15. La receta de la amistad

❑ 16. El gran baile con el príncipe

ISLA
DE LAS BALLENAS

La Isla de las Ballenas

1. Pico del Halcón
2. Observatorio Astronómico
3. Monte Despeñadero
4. Instalaciones fotovoltaicas
   para la energía solar
5. Llanura del Chivo
6. Punta de los Vientos
7. Playa de las Tortugas
8. Playa Playera
9. Universidad de Ratford
10. Río Lapa
11. Antigua Quesería:
    fonda y sede de la
    empresa Ratonáutica,
    Transportes Marítimos
12. Puerto
13. Casa de los Calamar
14. Zanzibazar
15. Bahía de las Mariposas
16. Punta del Mejillón
17. Arrecife del Faro
18. Arrecifes del Cormorán
19. Bosque de los Ruiseñores
20. Villa Marea:
    Laboratorio
    de Biología Marina
21. Bosque de los
    Halcones
22. Gruta del Viento
23. Gruta de la Foca
24. Islote de las Gaviotas
25. Playa de los Burritos

1. Campos de juego
2. Habitaciones de los profesores
3. Club de los Lagartos
4. Jardín
5. Torre del Sur
6. Club de las Lagartijas
7. Despacho del Rector
8. Jardín de Hierbas Aromáticas
9. Torre del Norte
10. Comedor
11. Aula Magna
12. Escalinata de los Mapas

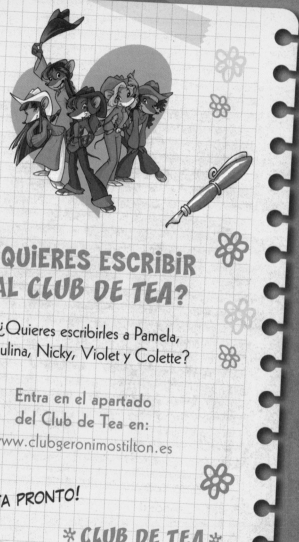

Pamela comería pizza hasta para desayunar. Se le da muy bien la mecánica: ¡dadle un destornillador y reparará cualquier motor!

PAULINA es más bien tímida y se mete en algún que otro lío, pero es muy altruista. Le gusta viajar y conoce a gente de todo el mundo.

Nicky es australiana. Sus pasiones son la ecología y la naturaleza. Le encanta estar al aire libre y nunca está quieta.

Tea Stilton

ESCENAS DE AMOR EN RATFORD

DESTINO

Textos de Tea Stilton
Inspirado en una idea original de Elisabetta Dami
Cubierta de Giuseppe Facciotto
Ilustración del texto de Giuseppe Facciotto *(diseño) y* Davide Turotti *(color)*
Diseño gráfico de Yuko Egusa
Mapa: Archivo Piemme

Título original: *L'amore va in scena a Topford!*
© de la traducción: Helena Aguilà, 2011

Destino Infantil & Juvenil
infoinfantilyjuvenil@planeta.es
www.planetadelibrosinfantilyjuvenil.com
www.planetadelibros.com
Editado por Editorial Planeta, S. A.

© 2009 - Edizioni Piemme S.p.A., Palazzo Mondadori, Via Mondadori 1,
20090 Segrate - Italia
www.geronimostilton.com
© 2011 de la edición en lengua española: Editorial Planeta, S. A.
Avda. Diagonal, 662-664, 08034 Barcelona
Derechos internacionales © Atlantyca S.p.A., Via Leopardi 8 - 20123 Milán - Italia
foreignrights@atlantyca.it / www.atlantyca.com

Primera edición: junio de 2011
Duodécima impresión: enero de 2016
ISBN: 978-84-08-10017-1
Depósito legal: M. 32.367-2011
Impresión y encuadernación: Unigraf, S. L.
Impreso en España - Printed in Spain

El papel utilizado para la impresión de este libro es cien por cien libre de cloro
y está calificado como **papel ecológico**.

¡Feliz cumpleaños, Ratford!

Ese curso, la UNIVERSIDAD DE RATFORD estaba en plena ebullición.

No había para menos:
la universidad cumplía…

¡SEISCIENTOS AÑOS!

¡Un cumpleaños así no
se celebra todos los días!

Desde hacía meses, los profesores pensaban en organizar algo especial para el aniversario. Todos tenían un montón de ideas y propuestas, y el rector Octavio Enciclopédico de Ratis tenía que decidir cuál sería la mejor CELEBRACIÓN.

Para conmemorar como se merecía el SEXTO CENTENARIO de la universidad, había que preparar algo muy, pero que muy especial.

Una decisión importante

Las chicas del Club de Tea estaban EMOCIO-NADÍSIMAS: ¡por fin había llegado una ocasión para reunirse y celebrar un gran acontecimiento!

—¡GUAU, chicas, *seiscientos* años! —exclamó Nicky, entusiasmada.

—El rector lo debe de estar organizando todo a lo GRANDE —comentó Pamela.

—¡Oooh! ¡Espero que haya un gran baile! —suspiró Colette.

—Si la profesora Maribrán colabora en los preparativos, seguro que hay un baile —dijo Violet, animada—. ¡Le encantan!

—Sea como sea, me juego lo que queráis a que los profesores preparan algo… ¡superratónico! —añadió Paulina.

—Uf, espero que no se les ocurra hacer maratones de matemáticas, EXÁMENES de economía, problemas de geometría y cosas por el estilo… —susurró Pam.

Sus amigas se echaron a reír.

—Y confiemos en que esta vez las Chicas Vanilla no sean tan aguafiestas como siempre —resopló Nicky.

Mientras tanto, el rector, que seguía indeciso, reunió a los docentes en la sala de profesores para resolver la cuestión. ¡El tiempo APREMIABA!

Cuando todos estuvieron sentados, Octavio Enciclopédico de Ratis se aclaró la garganta y empezó:

—¡E… ejem! Queridos colegas, faltan **TRES MESES** justos para la ceremonia oficial. ¡Hay que tomar una decisión!

Entre los profesores había cierto nerviosismo. Todos estaban convencidos de que su idea era la *mejor*.

—He recibido varias propuestas —continuó el rector—, y todas son interesantes, pero… ¡necesitamos algo más!

Los presentes empezaron a discutir acaloradamente, y la sala se llenó de murmullos y rumores confusos.

El rector **MIRÓ** a su alrededor, desanimado. No había sido una buena idea reunirlos a todos…

De pronto, Margot Rattcliff, profesora de Literatura y Escritura

Creativa, que hasta ese instante se había mantenido al margen, tomó la palabra. Se subió las gafas y, con su habitual tono comedido, propuso:

—Lo que deberíamos hacer es...
¡una obra de teatro!

Podríamos participar todos, alumnos y profesores, y sería una buena forma de unir solemnidad y diversión.

—¡Es verdad! —exclamó complacido el rector—. ¡Una REPRESENTACIÓN! Nunca hemos utilizado el Aula Magna para una obra de teatro. ¡La idea entusiasmará a todo el mundo! Los demás profesores asintieron, finalmente convencidos. ¡Nadie podía resistirse a la fascinación del teatro!

Una espía muy torpe

La idea de la profesora Rattcliff gustó tanto a los chicos que todos empezaron a pensar ya en la función.

—¡Es una oportunidad **única** para los chicos! —comentó la profesora Maribrán, muy satisfecha—. Aprenderán interpretación, y quien no quiera subir al **ESCENARIO** como actor puede trabajar entre bambalinas. Además...

No pudo terminar la frase, pues la interrumpió un fuerte ruido, que parecía el sonido de un piano **desafinado**.

¡CLING CLENG!
¡CLING CLENG!

—¡¿Qué pasa?! —preguntó el rector.

Los profesores Chispa y Maribrán fueron a ver qué ocurría. El **ruido** procedía de la habitación contigua a la sala de profesores, donde se guardaban los **instrumentos musicales**. Con cautela, se acercaron a la puerta y la abrieron. La luz iluminó la figura de *Vanilla de Vissen*, inclinada sobre un piano de cola.

—¡¿Qué haces aquí?! —preguntó Bartolomé Chispa.

Vanilla se levantó de inmediato, avergonzada.

—Ejem… pues yo… la verdad… estaba practicando con el **piano**.

Los dos profesores intercambiaron una mirada escéptica: estaba claro que Vanilla había ido allí para espiar y saber con **ANTELACIÓN** qué iban a organizar. Pero decidieron no hacer nada. De todas formas, la noticia de la obra de teatro pronto se haría pública. Por otra parte, ellos también habían sido jóvenes, y comprendían que los grandes acontecimientos siempre despertaban una irresistible **CURIOSIDAD**.

—Vanilla, vuelve ahora mismo a tu habitación —le ordenó la profesora Maribrán—. ¡Y que no se repita! —añadió—. ¡No puedes ir por ahí escuchando CONVERSACIONES ajenas!

Vanilla fingió arrepentimiento, pero en cuanto salió del cuarto CORRIÓ a reunirse con su grupo de amigas, que la estaban esperando, riendo satisfecha.

UNA HISTORIA ROMÁNTICA...

Horas más tarde, el rector Octavio Enciclopédico de Ratis se aclaró la V⊙Z ante los alumnos. Todos estaban muy pendientes de sus palabras.

—Queridos estudiantes, como todos sabéis, nos hemos reunido aquí para hablar de una ocasión muy especial… ejem…

Mil OJOS observaban cómo los bigotes del rector subían y bajaban, con la esperanza de que no pronunciara uno de sus larguísimos e interminables discursos.

—… Seiscientos años son un hito fundamental en la historia de nuestra PRESTIGIOSA universidad, y tenemos que celebrarlos como se merecen... BLa bla BLA... Tras muchas reflexiones, la comisión que presido ha encontrado una solución... BLa bla BLA...

—¡Oh, no! —se lamentó Nicky, tapándose los oídos—. ¡Sabía que esto iba a ocurrir!

Las demás no pudieron contener la RISA, mientras a su alrededor se oían cuchicheos.

¡NO PARA DE HABLAR!

—¡Chist! —las reprendió Violet—. ¡Os va a oír!

—... Así que nos hemos decidido... BLa bla BLA... por la interesante sugerencia de la profesora Rattcliff... BLa bla BLA... de... ¡representar una obra de teatro!

El murmullo cesó de repente, y los alumnos abrieron mucho los ojos, sorprendidos.

—Y la OBRA será —concluyó el rector— *Romeo y Julieta*, de William Shakespeare.

Los estudiantes estallaron en un largo y sonoro APLAUSO.

—Dentro de unas horas, colgaremos en el pasillo central la convocatoria para las AUDICIONES, abiertas a todos —añadió el rector. Luego, dejó que las voces resonaran en el Aula Magna, hasta que finalmente tosió repetidas veces para pedir silencio. Pero... ¡los alumnos no se callaban!

—¡**CHICOS**! —los regañó—. ¡Un poco de contención! La profesora Rattcliff os explicará cómo debéis preparaos para… ejem… la audición.

—Pues bien, como ya sabréis —empezó Margot Rattcliff, más simpática que de costumbre—, la tragedia que vamos a representar habla del **GRAN AMOR** de dos jóvenes, miembros de dos familias **ENEMISTADAS**. Para la audición, tenéis que estudiar la escena segunda del acto segundo…

Nadie reaccionó.

—¡Oh! —Rattcliff puso los ojos en blanco—. Me refiero a la escena que contiene el famoso verso:

«Romeo, Romeo, ¿por qué eres tú, Romeo?»

En ese momento, todos los estudiantes lanzaron gritos de júbilo, era una de las escenas teatrales más famosas del mundo: la del romántico

encuentro entre ROMEO y *Julieta* en el balcón de la joven, ocultos en las sombras de la noche...

Los alumnos estaban impacientes, no veían la hora de empezar a prepararse para las audiciones. Así que cuando los profesores dieron por terminada la reunión, todos salieron **CORRIENDO** del aula.

¡LA COMPETICIÓN HABÍA COMENZADO!

¡Empiezan las audiciones!

En Ratford no se hablaba más que de Romeo y Julieta, Julieta y Romeo. ¿Quién interpretaría los papeles principales? Un día después del **ANUNCIO** en el Aula Magna, colgaron este aviso en el pasillo central:

Los aspirantes a actores en la obra «Romeo y Julieta», de William Shakespeare, deben presentarse el próximo sábado, a las 15.00 horas, en el Aula Magna (primer piso).

El Magnífico Rector Octavio Enciclopédico de Ratis

Los alumnos se agolpaban ante el aviso, y sus cabezas parecían girasoles en busca del calor del sol. Ojos veloces y atentos leían y releían las palabras, por temor a olvidar algún dato importante, como el lugar o la hora de la convocatoria.

Las chicas del **CLUB DE TEA** también esperaban el gran día.

—Chicas, ¡sería fantástico participar! —exclamó Nicky.

—Sí —dijo Violet—, ¡es una obra tan *bonita*! ¡Hace soñar!

Colette asintió y suspiró.

—Si nos dan un papel —añadió Pam—, Tea estará orgullosa de nosotras.

—Elijan a quien elijan en las audiciones, será un espectáculo *PRECIOSO* —intervino Paulina—. Y suponiendo que ninguna de nosotras lo consigue, ¡**No PASA NADA**!

Todas se mostraron de acuerdo. No se trataba de competir con nadie, y menos aún entre ellas cinco, tan unidas.

Colette tenía un aire que era insólitamente meditabundo…

—¡Eh, Cocó! —la llamó Nicky, y, al darle una palmada en el hombro, la SOBRESALTÓ—. ¡¿En qué piensas, tan concentrada?!

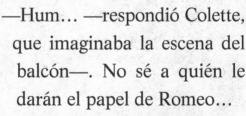

¡EH, Cocó!

—Hum… —respondió Colette, que imaginaba la escena del balcón—. No sé a quién le darán el papel de Romeo…

—Pero ¡qué romántica es nuestra Colette! —dijo Pam con una sonrisa.

Violet, que era tímida cuando hablaban de sentimientos, cambió de repente de tema:

—¡Ánimo, chicas! Tenemos que ir corriendo a la biblioteca, a ver si encontramos al menos un ejemplar de la obra.

Las cinco amigas salieron disparadas hacia la biblioteca de la universidad, donde las aguardaba una AMARGA SORPRESA.

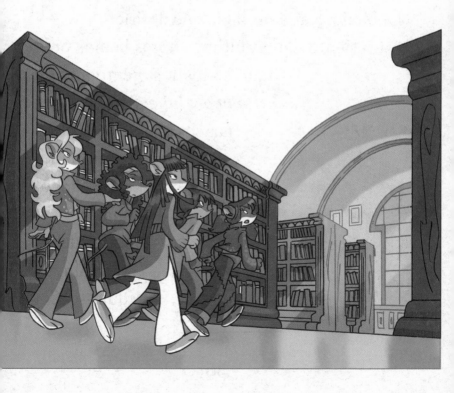

¿¡¿Cómo que «AGOTADO»?!?

—¿¡¿Cómo que «agotado»?!? —exclamó Nicky, pasmada, con los ojos muy abiertos.

La bibliotecaria no sabía qué decirle.

—Lo siento, en las últimas horas hemos prestado todos los ejemplares de *Romeo y Julieta*.

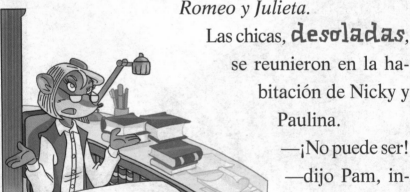

Las chicas, **desoladas**, se reunieron en la habitación de Nicky y Paulina.

—¡No puede ser! —dijo Pam, incrédula—. Con

todos los e j e m p l a r e s que había, ¿no ha quedado ni uno?

—Calma, calma... —intervino Colette, aunque, en realidad, era la que estaba más **NERVIOSA**—. Siempre podemos pedirle a alguien que nos preste uno.

—Ahí está el problema —respondió Nicky, acalorándose—. Les he preguntado a nuestros compañeros, y parece que nadie tiene el libro. Todos lo están buscando…

¡Oh, Romeo!

¿Cómo es posible?

De pronto, las chicas del Club de Tea oyeron a alguien ensayando en el pasillo.

—¡Eh! —exclamó Violet—. **¡Es la voz de Vanilla!**

Salieron de la habitación, y se encontraron con las Chicas Vanilla. Cada una de ellas tenía un libro en la mano.

—¡Ah! —dijo Pamela, frunciendo el cejo—. ¡Esto lo explica todo!

—Era de esperar —añadió Nicky, cruzando los brazos.

—¡Eh, chicas! ¿Qué tal? —preguntó Vanilla—. ¿Habéis ido a la 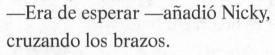? ¡Oh, qué lástima! ¿No habéis encontrado ningún ejemplar de *Romeo y Julieta*?

—Una verdadera lástima, ¡ja, ja, ja! —la secundó Zoe, con una risita despectiva, sacudiendo el flequillo.

—¡Esto no es justo! —se lamentó Pamela, furiosa—. Sois pérfidas y...

—DÉJALAS —la detuvo Violet, mientras entraba en su habitación e invitaba a sus amigas a seguirla—. Ya encontraremos otra SOLUCIÓN...

Al ver que las chicas del Club de Tea se retiraban desanimadas, Vanilla y sus compañeras intercambiaron miradas de satisfacción.

—¿Por qué no vamos a **PEDIRLE** el libro a la señora Rattcliff? —sugirió Pamela.

A todas les pareció buena idea, y fueron al despacho de la *profesora*.

Violet expuso la situación, aunque, para evitar PROBLEMAS, no reveló que Vanilla se había apoderado de todos los ejemplares disponibles de la obra. En el fondo, lo único que importaba era prepararse para las audiciones.

La profesora le prestó a Violet su propio ejemplar de *Romeo y Julieta* y, sin alterarse, dijo:

—**No os preocupéis**. Llevaos mi libro. Ya he encargado un **EJEMPLAR** para cada uno. Llegarán mañana, y los repartiremos entre los alumnos que se han quedado sin él.

Las chicas la miraron con ASOMBRO. Ella, la profesora más temida de la universidad, estaba siendo *amable* y generosa.

¡¿Quién lo hubiese dicho?!

—Preparaos a conciencia —añadió la señora Rattcliff, con una sonrisa—. Solamente el **ES-FUERZO** y el talento os permitirán llegar lejos. Las chicas del Club de Tea *sonrieron*, y corrieron a avisar al resto de los estudiantes.

En el club
de los Lagartos

En el segundo piso de la Universidad de Ratford, la puerta del **Club de los Lagartos** llevaba horas cerrada. Los aspirantes a Romeo discutían sobre quién tenía más posibilidades de conseguir el papel. El favorito era *CRAIG*. Guapo y fuerte, parecía muy adecuado para hacer de protagonista.

—Ese Romeo parece un tipo duro —comentó el chico, HINCHANDO un poco el pecho.

No todos estaban de acuerdo. Por ejemplo, SHEN, que por timidez

CRAIG

SHEN

no decía nada, conocía bien la tragedia, y sabía que Romeo era también un personaje dulce y sensible, un soñador... Es decir, que él sería más adecuado que Craig para el papel. Incluso tenía en mente a la Julieta de sus sueños: ¡Pamela!

AH, CUÁNTO LE GUSTARÍA COMPARTIR EL ESCENARIO CON ELLA, COGERLA DE LA MANO...

—¡¿Shen?! ¡Eh, despierta, Shen! —gritó Craig, sacudiéndolo por un brazo—. ¡¿No estás de acuerdo conmigo?!

—¿¡¿Eh?!? —Shen estuvo a punto de que se le cayeran todos los **libros** que llevaba en las manos—. Cla-claro… ¡por supuesto! Ejem… ¿qué decías, Craig?

—Decía que yo podría ir como representante de los Lagartos, bello durmiente —se BURLÓ Craig.

¿A TI QUÉ TE PARECE?

La imagen de Pamela en el balcón se desvaneció de la mente de Shen igual que un ESPEJISMO en el desierto.

—Bueno... no eres el único que tiene posibilidades —intervino una voz profunda desde el otro extremo de la habitación.

Era la voz de Vik de Vissen, el hermano de Vanilla. Todos se volvieron hacia él. Vik tenía un aire algo MISTERIOSO, y en el club todos lo respetaban, aunque no les cayera muy bien. El chico hablaba poco, pero no se le escapaba nada.

Su mirada, cargada de MAGNETISMO, se detuvo en las caras perplejas de sus compañeros.

—Yo también me presentaré —afirmó despreocupadamente.

—¿Tú, Vik? —replicó Craig, muy sorprendido—. ¡Creía que no te gustaban las competiciones!

El otro negó con la cabeza y lo miró con aire de suficiencia:

—Pero es que *esto* no es una competición, sino ¡una REPRESENTACIÓN! Una de las más bonitas de todos los tiempos...

—¿Quieres decir que *la has leído*? —preguntó Craig, asombrado.

TUS OJOS SON COMO ESTRELLAS...

—¡Pues claro! —confirmó el chico con desdén—. Si no me crees, te lo puedo demostrar.

Y, ante el estupor general, Vik empezó a recitar de **memoria** y con gran sentimiento los versos de la escena del balcón.

¡Lo hacía de **maravilla**!

Cuando terminó, salió de la habitación, dejando tras de sí el **eco** de las palabras de Romeo enamorado de su Julieta.

Los chicos se quedaron boquiabiertos.

Shen sonrió con admiración:

—¡Él sí que es un auténtico Romeo!

El gran día

El día de las audiciones, el sol brillaba.
La emoción hacía vibrar a todos los estudiantes, que se habían pasado los últimos días estudiando los papeles, y ahora se sentían eufóricos e impacientes.

A la hora del almuerzo, un ruidoso grupo de aspirantes a actor esperaba en el pasillo, delante del Aula Magna.

Había un gran ALBOROTO: cada cual hacía sus previsiones y, aunque en la obra había muchos personajes, todos esperaban que los eligiesen para poder interpretar a uno de los protagonistas.

—Chicas, estoy temblando de nervios —dijo Colette, incapaz de estarse quieta.

Nicky se acercó y le dijo:

—¡RECONÓCELO, HERMANA!

¡ES LA FIEBRE DEL TEATRO!

Paulina, Pamela y Violet iban repitiendo los versos de Julieta, para repasar.

Vanilla vio que todos tenían un EJEMPLAR del libro, y se quedó en un rincón, disgustada.

Las puertas del Aula Magna se abrieron a las **15.00** en punto.

Los miembros de la comisión encargada de evaluar las pruebas estaban sentados cerca del escenario. Eran la profesora Rattcliff, la profesora Maribrán y Bartolomé Chispa. En el centro estaba el rector, observando la platea. Junto a él, sobre la mesa, había una gran URNA.

Los candidatos entraron y se sentaron a esperar su turno. En la sala se hizo un profundo SILENCIO cargado de expectativas.

En ese momento, el rector se levantó y dijo:

—Queridos alumnos de Ratford, declaro oficialmente abiertas las audiciones para la obra *Romeo y Julieta*, que representaremos para celebrar el sexto centenario de nuestra querida UNIVERSIDAD.

Todos los chicos aplaudieron.

—Ahora —continuó el rector—, fijaremos

el orden de las audiciones con el siguiente método: escribid vuestro nombre en un PAPEL y luego metedlo en esta urna. Nosotros extraeremos los nombres, y colgaremos una lista con el orden de los **candidatos**.

—Más que una audición, esto parece un sorteo —les susurró Pam a sus amigas, sonriendo.

—¡Je, je! —rieron todas, tapándose la boca para que no las oyeran.

—Pero es un método muy justo —comentó Violet. Y añadió—: Así nadie tiene VENTAJA. Todos los candidatos querrían ser los primeros, porque después de haber oído mil veces la misma escena, la comisión seguramente estará muy cansada...

—Pero por fuerza alguien tendrá que ser el ÚLTIMO —objetó Nicky.

—Sí, claro —convino Paulina—. Y si es bueno, lo será aunque actúe en último lugar.

Pam y Violet asintieron convencidas.

—Boli, boli, boli, boli... —dijo Colette, y dio un *bolígrafo* a cada amiga para que escribieran sus nombres.

¡Aquí hay trampa!

Todos los alumnos escribieron su nombre en un papel.

El rector había insistido mucho: ¡un solo papel por candidato! Bajo pena de ser expulsados de las audiciones.

Pero alguien no respetaba las normas...

—¿Qué haces, Vanilla? —preguntó Alicia en voz **ALTA**, al ver que su amiga escribía en varios papeles.

—¡Chist! —la mandó callar Vanilla—. ¿Es que quieres que me descubran?

—Pero el rector ha dicho... —replicó Alicia, perpleja.

—¡¡¡No grites!!! —le dijeron Zoe y Connie, y miraron a su alrededor con aprensión—. ¿Es que no lo entiendes? Tenemos que sacar ventaja de la situación.

—¿Cómo? —preguntó Alicia.

—¡Uf! —se impacientó Vanilla—. Estamos escribiendo los nombres de las chicas del **CLUB DE TEA** en todos los papeles, así las descalificarán de inmediato.

—¡Genial! —exclamó Alicia.

—Es un **SABOTAJE** en toda regla —afirmó Connie.

—Pues sí —convino Zoe—. ¡Así todos creerán que son unas **TRAMPOSAS**!

Las Chicas Vanilla se apresuraron a escribir tantos papeles FALSOS como pudieron.

—Para nuestro querido Club de Tea esto significa quedar **excluidas** de la prueba —sentenció Vanilla.

Las Chicas Vanilla terminaron de escribir y, vigilando de que nadie las viera, metieron todos los papeles en la urna.

QUIÉN LO IBA
A DECIR...

Mientras los demás terminaban de escribir sus nombres, las chicas del Club de Tea salieron al jardín, a tomar el AIRE.

—¡Necesito descargar la tensión, chicas! —exclamó Nicky, y empezó a hacer una serie de ESTIRAMIENTOS—. ¡Estoy muy rígida!

—Tienes razón, Nicky —dijo Colette, sonriendo—. ¡Buena idea! Vamos a dar una vuelta.

—¡Sí! —convino Paulina—. De este modo nos DISTRAEREMOS un rato.

—Yo preferiría repasar mi papel —anunció Violet, sorprendiendo a las demás.

—Pero... ¡si lo has **repetido** un millón de veces, Viví! —contestó Colette—. Además, lo haces *muy bien*.

Sus amigas sonrieron. Era cierto: mientras ensayaban, Violet había demostrado ser la que poseía mayor talento.

¡Era EXPRESIVA y sensible!

—Si quieres seguir ensayando, Violet, me quedaré a echarte una mano —se ofreció Pamela.

Nicky, Colette y Paulina se DIRIGIERON hacia el claustro, mientras las otras dos repasaban el texto en el apacible JARDÍN.

De pronto, Nicky vio a alguien apoyado en las columnas del fondo. Era Vik de Vissen. Vik y Vanilla tenían la misma fría belleza, sólo que, a diferencia de su hermana, que siempre quería ser el centro de atención, él era más bien ESQUIVO y RESERVADO.

En ese momento, Vik estaba solo. A medida que se acercaban, las chicas vieron que estaba recitando unos versos.

—¡Es el papel de ROMEO! —exclamó Paulina, con sorpresa.

—Es verdad —confirmó Nicky.

—Quién lo iba a decir… Vik también aspira a ACTUAR.

¡VENID!

En ese instante, Violet y Pamela llegaron corriendo, sin aliento, y entre JADEOS, anunciaron:

—Ya han colgado la lista. ¡Venid!

Vik también lo oyó, y siguió a las chicas hacia el interior del edificio.

PAMELA

UNA AMARGA SORPRESA

Una multitud de cabezas curiosas se AGOLPÓ ante la lista.

Las chicas del Club de Tea esperaron su turno. Y, cuando leyeron los *nombres*, descubrieron que… ¡los suyos no estaban!

Leyeron la lista varias veces, incrédulas.

—¡¿CÓMO ES POSIBLE?!

—exclamó Nicky, sin poder dar crédito a lo que veía—. Ninguna de nosotras está.

Las chicas se miraron, DESANIMADAS.
La profesora Rattcliff se acercó y les susurró:
—Acompañadme, chicas. Ha ocurrido algo muy
DESAGRADABLE...
Ellas la siguieron, cada vez más perplejas. Parecía que hubiera sucedido algo GRAVE.
Subieron al primer piso y entraron en el DESPACHO
del rector De Ratis.

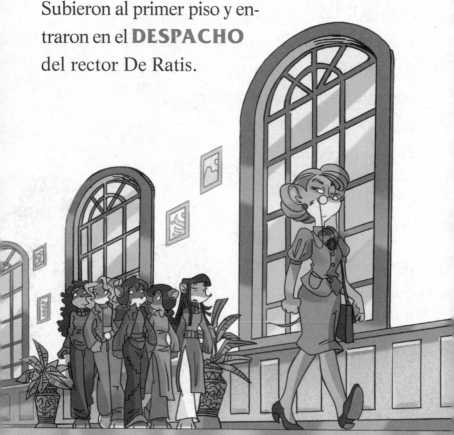

Éste las miró de arriba abajo, con expresión contrariada.

—Estoy muy DECEPCIONADO, chicas. Al sacar los papeles de la urna, hemos visto que vuestros nombres aparecen muchísimas veces. Y las reglas eran absolutamente CLARAS en ese sentido.

Las cinco se quedaron pasmadas. Violet dio un paso adelante:

—¡NO ES CIERTO! ¡NOSOTRAS NO HEMOS HECHO NADA!

—No puede ser... —susurró Paulina, con un hilo de voz.

—¡Hemos respetado las normas! —PROTESTARON las demás.

La profesora Rattcliff acudió en su ayuda:

—Yo os creo. Desde que estáis en la universidad, nunca habéis hecho nada **INCORRECTO**, y no creo que lo hayáis hecho en esta ocasión.

—Hemos retirado todos los PAPELES con vuestros nombres —prosiguió el rector—. Me fío de vosotras, pero no podemos incumplir las normas. Intentaremos averiguar lo que ha ocurrido.

Las chicas del Club de Tea miraron con atención los papeles. Al instante, observaron un detalle importante.

—¡No es nuestra letra! —exclamó Violet.

—¡Alguien ha escrito estos papeles por nosotras!

El rector comparó los papeles con los que habían escrito realmente las chicas.

—¡Es cierto! ¡Son **falsos**!

Las cinco suspiraron aliviadas.

—Alguien os ha jugado una mala **PASADA** —comentó la profesora Rattcliff, frunciendo el cejo—. Intentaremos descubrir quién ha sido. De momento, lo único que puedo hacer es incluiros al final de la lista.

«Mejor eso que nada», pensaron ellas.

Y de una cosa estaban seguras: aquello tenía la **HUELLA** de las Chicas Vanilla.

LA FIEBRE
DEL TEATRO

Por fin llegó el momento de hacer las pruebas
de interpretación. Los primeros candidatos esperaban en **FILA INDIA**, delante
del Aula Magna, y repasaban sus frases con el
guión en las manos, *temblando* de nervios.
De pronto, se abrió la puerta del Aula Magna, y
el **MURMULLO** de voces cesó.

—Ejem… —comenzó el rector ante la multitud
de **OJOS** que lo observaban—. ¡Empiezan
las audiciones! Primero haremos las pruebas
para los papeles de Romeo y Julieta, después
el resto.

Luego, en tono solemne, añadió:

—¡Que entren los primeros aspirantes!

Las audiciones prosiguieron durante horas, a un RITMO VERTIGINOSO.

Los candidatos a actores se esforzaban al máximo para mostrar su talento. Los chicos intentaban interpretar al mejor Romeo, mientras que las chicas trataban de representar a una Julieta *fascinante*. Pero los profesores sentían que faltaba algo. Y era cierto. Para actuar no bastaba con esforzarse, se precisaba al mismo tiempo una sensibilidad y un talento especiales.

Craig, por ejemplo, demostró tener una gran ENERGÍA… incluso demasiada, porque al declararle su amor a Julieta, se tiró al suelo, desesperado, y GOLPEÓ con los puños las tablas del escenario.

Shen, en cambio, habría sido un Romeo perfecto de no ser porque, a causa de la emoción, se

OLVIDÓ de la mitad de sus frases. Zoe y Connie recitaban de forma poco EXPRESIVA.

En definitiva, todos hicieron lo que pudieron, aunque sin grandes resultados.

—En realidad, todavía faltan algunos alumnos... —dijo la profesora Maribrán—. Además, los chicos que hemos visto hasta ahora pueden ser perfectos para **interpretar** otros personajes de la historia.

Todos asintieron, pero en el fondo sabían que sin una Julieta y un Romeo buenos de verdad, la obra no sería lo mismo...

UNA PRUEBA
DE ENSUEÑO

Por fin llegó el turno de Vanilla. Para impresionar a los profesores, se había puesto un vestido largo de color azul.

Sí, estaba elegantísima, pero… ¿actuaría tan bien como vestía?

De momento, se la veía muy NERVIOSA. Era de las últimas candidatas, y se había pasado la tarde quejándose.

—Uf… ¿por qué pierden el tiempo con las demás?

¡Yo soy la Julieta que buscan!

Y ahí no acababa la cosa.

—De niña, era la que mejor actuaba del colegio —decía—. Nací siendo una **GRAN** actriz, y no hay que hacer esperar a las **GRANDES** actrices. Cuando el rector la llamó para la prueba, Connie, Zoe y Alicia corrieron junto a ella para animarla.

—**¡VAMOS, VANILLA,** demuéstrales que eres la mejor! —gritó Connie.

—Tú *tranquila*, haz lo que puedas, aunque no te den el papel —dijo Alicia con ingenuidad.

Vanilla y las otras chicas la fulminaron con la mirada.

—¿He dicho algo malo? —preguntó la tímida Alicia.

—Vanilla *debe* ser la MEJOR —respondió Zoe, altiva—. No puede conformarse con hacer lo que pueda.

Mientras, Vanilla había subido al escenario, y cuando empezó a actuar, todos se quedaron boquiabiertos.

¡ERA REALMENTE BUENA!

Lograba transmitir una gran emoción, y al mismo tiempo era espontánea.

¡Los profesores estaban entusiasmados!

—¡Ah! —suspiró la profesora Maribrán—. ¡Qué dulce es!

Incluso la señora Rattcliff, que solía ser muy dura, derramó una LÁGRIMA de emoción.

—Bien, bien, parece que hemos encontrado a nuestra Julieta —exclamó el rector muy contento, mientras Vanilla iba a cambiarse.

¡QUÉ EMOCIÓN!

—Bueno, todavía tenemos que oír al resto de candidatos —le recordó el profesor Bartolomé Chispa.

Entre las aspirantes femeninas, faltaban aún las chicas del *CLUB DE TEA*.

Ellas también habían asistido a la prueba de Vanilla, y ahora, ante la idea de competir con una actuación tan buena, se sentían más nerviosas e inseguras que antes.

Se abrazaron para darse ánimos, y se prepararon para sus audiciones.

UNA AUDICIÓN EMOCIONANTE

Colette, Nicky, Pamela, Paulina y Violet actuaron ante la comisión exactamente en este orden. Cada una de ellas representó a Julieta a su manera, según su CARÁCTER y su forma de expresar los sentimientos. Colette subió al escenario muy seria y concentrada, e interpretó a Julieta con demasiado sentimiento. En un momento dado, mientras recitaba versos de amor, hizo una pirueta y suspiró, apretándose las manos contra el pecho.

Muy distinta fue la interpretación de Nicky, que dio vida a una Julieta muy **ENÉRGICA** y **EFERVESCENTE**, poco sentimental, pero llena de alegría de vivir.

Pamela olvidó gran parte de las frases, y su improvisada Julieta le pidió a Romeo que la llevara a dar una VUELTA por el mundo… para desagrado de la profesora Rattcliff, que tosió **CONTRARIADA**.

Cuando le llegó el turno a Paulina, la comisión estaba muy **CANSADA**, pero la chica captó su atención susurrando sus frases. Quizá lo hiciera por timidez, pero el resultado fue que todos aguzaron el oído para escucharla y guardaron absoluto silencio. ¡No se oía ni una MOSCA!

Por último, le tocó a Violet, que al subir al escenario se olvidó de los nervios.

En el momento de pronunciar las primeras palabras, suspiró, cerró los ojos e intentó imaginar el balcón desde el que Julieta le hablaba a Romeo, la frondosidad de los ÁRBOLES, la brisa FRESCA… Y, mientras imaginaba todo esto, empezó a recitar sus versos casi sin darse cuenta, transportando a todo el mundo a aquel lugar ENCANTADOR.

Al final de la prueba, todos los presentes aplaudieron con entusiasmo. ¡Violet poseía un gran talento!

Ahora tenían que decidir si le daban el papel de Julieta a *Vanilla* o a *Violet*.

—Vanilla lo ha hecho muy bien —admitió el rector—, y Violet también.

—Sí, ambas son *perfectas* para el papel...

¡Los profesores estaban indecisos y no sabían a quién elegir!

Tras unos instantes, el rector les pidió a las dos chicas que se acercaran a la mesa de los profesores.

—Vanilla, Violet, hemos decidido que debéis pasar una **segunda** audición —dijo—. Estamos indecisos, y queremos volver a escucharos a las dos para elegir quién interpretará a Julieta. Os esperamos mañana a las **14.00**, aquí, en el Aula Magna, para la prueba definitiva. ¿Estáis de acuerdo?

Violet y Vanilla asintieron, algo sorprendidas. Para ellas, ¡las pruebas todavía no habían terminado!

Un romeo inesperado

Tras la prueba de Violet, en el Aula Magna solamente se oían murmullos y comentarios de ADMIRACIÓN.

Entre el bullicio general, un último candidato avanzó entre la multitud: era Vik de Vissen.

—Por favor, Vik, acércate —le pidió la profesora Maribrán—. ¡AHORA TE TOCA A TI!

Él subió al escenario y empezó a recitar sus frases sin vacilar. Una vez más, alumnos y profesores guardaron silencio ABSOLUTO.

Vik se sabía perfectamente el papel, y actuaba con tanta *pasión* que los compañeros empezaron a darse codazos unos a otros:

—¡¿Ése es Vik de Vissen?! ¡Increíble!

—¡No parece él!

—¡CHIST! ¡SILENCIO! ¡ESCUCHAD!

Nadie, ni siquiera Vanilla, había visto brillar los ojos de Vik como en aquel momento.

¡Sin duda, le **ASIGNARÍAN** a él el papel de Romeo!

Vanilla, muy contenta, se acercó a su hermano y le dijo:

—La obra quedará perfecta, hermanito, porque nosotros dos seremos los PROTAGONISTAS.

—Todavía no han decidido quién interpretará a Julieta —replicó Vik.

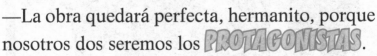

—Oh, seguro que yo conseguiré el papel —afirmó su hermana, con rabia. Seguidamente, murmurando, añadió—: Le echaré una mano al **DESTINO**...

Una cita misteriosa

Al día siguiente, Violet se despertó muy temprano. Estaba INQUIETA por la prueba de la tarde, y se preguntaba si lograría TRANSMITIR las mismas emociones que el día anterior.

Decidió no despertar a sus amigas, cogió su ejemplar de *Romeo y Julieta* y se FUE al jardín, a repasar sus frases.

Pero ¡no era la única que se había despertado pronto!

Junto a la FUENTE estaba Vanilla, en chándal, haciendo ejercicios de respiración y estiramientos.

Violet se le acercó:

—Tú también estás un poco nerviosa, ¿verdad?

—¡LO DIRÁS EN BROMA! ¿Por qué iba a estarlo? —contestó Vanilla, y le dio la espalda.

Violet sintió la tentación de responderle en el mismo tono, pero luego decidió hacer como si NADA, y se sentó en un banco a repasar.

Al cabo de un rato, empezaron a salir al jardín los primeros alumnos.

—¡Eh, Violet! —la saludó
Nicky—. ¡Por fin te encuentro!
¿Qué haces aquí?

Violet dejó el libro en el banco
y fue a reunirse con su amiga.

—Estoy repasando el texto
para la prueba de hoy.

Nicky iba en chándal, lista
para CORRER, como
todas las mañanas.

¡HOLA, VIOLET!

—**¡MUY BIEN!** —le dijo—. Pero no repases mucho, porque si no te pondrás más **NERVIOSA**. Voy a correr un rato. Antes de comer nos vemos en la habitación de Colette, como siempre, ¿vale?

—¡Sí! —respondió Violet—. ¡Hasta luego!

Después volvió al banco, cogió el libro y… de las páginas cayó un **P A P E L**.

Lo recogió y lo leyó:

Querida Violet:

¿Quieres que ensayemos juntos los papeles de Romeo y Julieta? Entre los dos será más fácil. Pero en la universidad hay demasiada gente. Quedemos en el observatorio a las 10.

Hasta luego,

Vik

¿¡¿Vik le pedía que ensayaran juntos?!?

Vik era un chico taciturno, reservado y bastante **MISTERIOSO**, pero lo habían elegido para el papel de Romeo, pensó Violet, y aquello podía ser una buena idea para ambos: él se prepararía para la función y ella para la prueba de la tarde.

Miró el reloj: eran las
9.30.

Sí, por qué no, decidió.
Tenía tiempo para *IR* →
al observatorio,
VOLVER, almorzar
con sus amigas y presentarse
a la segunda prueba en
el Aula Magna.

Cogió el libro y se **encaminó** al observatorio.

¡PROBLEMAS
A LA VISTA!

El Observatorio Astronómico estaba en el punto más alto de la Isla de las Ballenas. Desde allí se podían contemplar el cielo y las estrellas sin que molestaran las luces de la universidad ni las del pueblo.

El edificio era de planta circular y en lo alto tenía una cúpula de la que sobresalía un gran telescopio que siempre APUNTABA al cielo.

Al observatorio se podía llegar en coche, por la carretera principal, o también a pie, recorriendo un estrecho sendero que bordeaba el Bosque de los Halcones y subía hasta la cima.

Violet decidió ir a pie, para caminar un poco y disfrutar del **PANORAMA** y el aire fresco de la mañana.

Mientras se volvía para observar el vuelo de un halcón que planeaba en el cielo, vio una **SOMBRA** moviéndose con rapidez entre los árboles. La chica se detuvo, y entonces miró hacia delante.

—Mmm... creo que he visto algo por allí... ¿Vik? —llamó.

Cuando ya estaba a punto de ir hacia los árboles, un **GORRIÓN** salió de entre las hojas, voló por encima de su cabeza y se paró junto a un **MATORRAL** cercano.

—¡Ah, eras tú! —dijo Violet, *riendo* para sí misma—. Creía que había alguien.

Luego se dirigió de prisa al observatorio. El edificio siempre estaba abierto, para que los alumnos

pudieran acceder al museo dedicado al firmamento, que ocupaba la primera sala. Las otras salas, donde estaba el gran telescopio y el instrumental **TÉCNICO**, estaban cerradas, y sólo podían entrar en ellas los profesores de la universidad.

Violet abrió la puerta, y entró en la sala desierta.

—¿Vik? —llamó.

¡Ya estoy aquí!

AQUÍ AQUÍ AQUÍ...

le respondió el eco.

Miró la hora: eran las **10.10**.

¡Vik ya debería haber llegado!

«Bueno, puede que se retrase», pensó, y paseó un poco, contemplando los **MAPAS ESTELARES** colgados en las paredes, pese a que ya los había visto otras veces durante las visitas con la clase.

Al llegar al centro de la sala, oyó un ruido sospechoso a su espalda…

¡Criiiiiiiii **SBAM!**

—¡Ooooh, no! —gritó Violet, y se volvió corriendo hacia la salida.

La pesada puerta se CERRÓ de repente.

Violet intentó abrirla, pero el pomo estaba en la parte de fuera.

¿Qué había ocurrido? ¿Una ráfaga de **viento**? Le parecía muy **raro**...

Fuera como fuese, estaba encerrada en el observatorio sin posibilidad de salir.

Su única **salvación** era Vik... ¿Dónde se habría metido?

Un plan
tramposo

Connie, Zoe y Alicia estaban charlando en la escalera de entrada a la universidad cuando vieron llegar a Vanilla.

—¡Hola! —la saludó Connie—. ¡Te dábamos por **DESAPARECIDA**! Te hemos buscado por todas partes.

—Empezábamos a pensar que Violet te había encerrado en algún sitio por **MIEDO** a tener que competir contigo —añadió Zoe.

Las otras chicas se echaron a REÍR.

Vanilla también rió, pero con un aire PÉRFIDO.

—No, qué va… Yo diría que quien va a desaparecer es ella —dijo en un susurro, pensando en su tramposo plan.

Vanilla era quien había escrito la **FALSA NOTA** en la que Vik le pedía a Violet que se reunieran en el observatorio. Y también era ella quien había cerrado la puerta para que la chica no pudiera salir.

Así la mantendría ALEJADA de la universidad el tiempo suficiente para que no llegara a la prueba de la tarde. Ante su AUSENCIA, los profesores se verían obligados a elegir a Vanilla para el papel de Julieta. Una vez hubieran tomado la decisión, regresaría al observatorio y LIBERARÍA a Violet. Hasta el momento, todo iba saliendo bien. Sólo había estado a punto de ser *descubierta* una vez, en el sendero. Violet se había vuelto de repente, y ella había tenido que esconderse detrás de un árbol.

Por suerte, la chica creyó haber visto un gorrión… Después, todo había salido según estaba previsto.

—¡ES UN PLAN PERFECTO! —exclamó Vanilla en voz alta, sin darse cuenta.

Sus amigas la miraron con aire interrogativo.

—¿Qué plan, Vanilla? —preguntó tímidamente Alicia.

—Ejem… nada, nada… Estaba pensando qué voy a PONERME para la prueba de hoy —contestó ella, algo azorada—. Venga, vamos a entrar —añadió decidida—. ¡Quiero ensayar un poco más antes de mi TRIUNFO!

En busca
de Violet

Hacia las doce, Nicky se reunió con sus amigas en la habitación de Colette.

—Chicas, ¿habéis **VISTO** a Violet? —preguntó, algo preocupada.

—No... —respondieron las demás, mirándose con aire interrogativo—. Creíamos que estaba contigo.

—No la he visto desde la primera hora de la mañana —dijo Nicky, alarmada—. Hemos **QUEDADO** aquí para almorzar juntas, y ya sabéis que Violet siempre es muy **PUNTUAL**.

—Sí, lo sabemos muy bien —respondió Colette con un suspiro, pensando en todas la veces que su amiga le había reprochado sus retrasos.

—Y después de comer tiene que presentarse a la *prueba* —añadió Pamela, inquieta.

—Puede que esté repasando con alguien —sugirió Paulina.

—¡POR MIL MOTORES MOTORIZADOS!

¡Quizá está ensayando con Vik!

Colette la miró, DUBITATIVA, y después dijo:

—¡No hay tiempo que perder! Vamos a buscarlo y veamos si Viví está con él.

Las cuatro se fueron en busca del chico, al que vieron en el PASILLO, de camino a las habitaciones.

—¡Vik! —lo llamó Colette, GRiTANDO.

—¡Hola! —dijo él, volviéndose.

—¡Hola, Vik! —lo saludó Pamela—. ¿Has visto a Violet?

—¿A Violet? No, no la he visto… ¿Por qué lo preguntáis?

Ellas se miraron, desconsoladas.

—Porque no la encontramos por ningún lado —explicó Paulina—, y dentro de un rato tiene la **SEGUNDA PRUEBA** con los profesores.

Vik se detuvo a reflexionar.

—¡Tenemos que ir a buscarla!

—propuso, muy resuelto—. Nos dividiremos en dos grupos: Colette y Nicky, mirad dentro de la universidad. Paulina, Pamela y yo lo haremos fuera, por los alrededores.

—*¡DE ACUERDO!* —contestaron las chicas al unísono.

UNA FIERA
ENJAULADA

Violet llevaba dos horas encerrada en el observatorio, y ya había perdido toda esperanza de
que Vik llegara.

Andaba arriba y abajo por la sala del museo.
AGITABA los brazos y decía:

—¡Vik y sus notas misteriosas! ¡Ah! Si no fuera por él, ahora no estaría aquí encerrada.
¡Grrr!

Estaba FURIOSA, y parecía una FIERA
enjaulada.

—Vale, Violet —se dijo en voz alta—, cálmate
e intenta pensar.

Miró a su alrededor, buscando una solución.

La sala tenía cuatro VENTANAS, todas bastante altas.

Acercó una silla a la pared, se subió en ella y alcanzó una ventana.

Miró hacia fuera y GRITÓ, pero el observatorio estaba en una zona aislada, y no había nadie que pudiera oírla.

—Uf... ¿y ahora qué hago?

No conseguiré llegar a la universidad a tiempo para la prueba —dijo, y sintió un escalofrío—. ¡Quizá ni siquiera logre salir de aquí!

Entonces vio la luz del sol, que entraba por la ventana y se reflejaba en la lente de un telescopio **desmontado**, expuesto en una vitrina.

De pronto, tuvo una idea… ¡brillante!

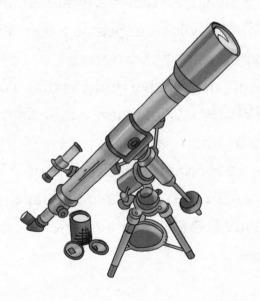

Un S.O.S.
Luminoso

Colette y Nicky BUSCARON a Violet por todos los rincones y habitaciones de la universidad, sin encontrarla.

Mientras, Pamela, Paulina y Vik habían mirado
por el JARDÍN y los campos de juego, y ahora
la buscaban por los alrededores.

—¿Adónde puede haber ido? —dijo Pamela,
PREOCUPADA—. Violet nunca falta a una cita,
y menos aún sin avisar.

—Seguro que la encontramos —respondió Vik—.
Estará en algún sitio, repasando el papel.

Pero era muy raro que no la vieran por ningún lado.

—Vamos hasta el río Lapa —sugirió Paulina—,
es un lugar que a Violet le $gusta$ mucho...
tal vez haya ido a repasar allí.

—Tienes razón —dijo Pamela—. ¡Vamos!

Vik asintió y las siguió.

Ya eran las **12.45**.

Al cabo de poco más de una hora,
Violet tenía que presentarse ante
los profesores de la comisión para
hacer la **SEGUNDA PRUEBA**. Vik
y las chicas echaron a **CORRER**:
¡no podían perder ni un minuto! Al llegar al sendero, Vik se detuvo y miró alrededor
para decidir qué camino debían tomar.

Entonces, al volverse hacia el monte donde estaba el observatorio, vio un **EXTRAÑO RES-
PLANDOR**... Muy extraño... nunca había visto
luces procedentes del observatorio. Además, en
teoría, allí arriba no había **NADIE**, a menos
que...

—¡Pamela! ¡Paulina! —llamó Vik.

Las chicas se volvieron.

—¿Qué pasa? —preguntó Paulina, sorprendida.

—Creo que sé dónde puede estar Violet —les dijo él—. ¿Veis ese **RESPLANDOR** que viene del observatorio?

—Sí, pero ¿qué tiene que ver con…? —empezó a decir Paulina.

—¡Ésa no es una luz normal! —exclamó Pamela—. ¡Es una **señal** luminosa! Mira, Paulina, no puede ser el viento *moviendo* algo, es demasiado regular.

—¡Violet! —gritaron las chicas a coro.

—No hay un minuto que perder —dijo Pam—: ¡voy por mi **TODOTERRENO** y subiremos hasta allí!

¡AL FIN LIBRE!

Incluso antes de entrar en el observatorio, Pamela, Paulina y Vik oyeron a Violet gritar por la ventana:

—¡Socorrooo!

¡¡Estoy encerrada!!

¡¡¡Sacadme de aquí!!!

Violet había utilizado la LENTE de un telescopio para reflejar el sol y llamar la atención de alguien.

—¡Tranquila, Viví! —gritó Pamela corriendo hacia el edificio—. ¡Ya vamos! ¡Te liberaremos en un instante!

Cuando llegaron a la entrada, vieron una cosa preocupante: una gruesa RAMA atrancaba la puerta, impidiendo que se abriera. Pamela corrió a sacarla. Cuando por fin pudo abrirla, Violet se echó en brazos de sus amigas.

—¡Pam, Paulina! ¡Cuánto me alegro de veros! ¡Gracias! No sé cómo he podido quedarme encerrada, pero de no ser por vosotras…

Entonces vio algo que se movía cerca, alzó los ojos y, FURIBUNDA, avanzó en dirección a Vik.

—¡Es culpa tuya! —chilló—. ¿Qué significa todo esto? ¡Quedas aquí conmigo y luego no te presentas!

—¿Quedar contigo? —dijo Vik, ABRIENDO mucho los ojos—. ¿Aquí?

—¡Ahora no disimules! —prosiguió Violet, agitando ante sus narices la nota que había recibido—. ¡Mira tu nota!

Él cogió el papel y lo leyó.

—¡Yo no te he escrito esta **NOTA**!

—Entonces… ¿quién ha sido? —preguntaron las chicas.

—No lo sé —contestó—. Lo importante es que te hemos liberado a tiempo para…

—*¡¡¡La audición!!!* —recordó Violet de pronto—. ¡No llegaré a tiempo!

—¡Claro que sí! —le dijo Pamela, guiñándole un **OJO**—. Te llevaré yo en mi todoterreno.

Bien está lo que bien acaba

Violet llegó justo a tiempo para la segunda audición. Nicky y Colette la esperaban en la puerta del Aula Magna y le dieron un **fuerte** abrazo.

—Viví —dijo Colette—, ¡qué alegría verte! Ahora concéntrate, piensa sólo en actuar. Eres una Julieta fantástica, y lo demostrarás.

Violet, conmovida, entró en el aula justo cuando los profesores estaban a punto de darle el papel a Vanilla, al ser la única que se había presentado.

Ésta PALIDECIÓ, pero no dijo nada para no delatarse. Al ver a Violet allí, se quedó tan sorprendida y **CONFUSA** que su interpretación fue pésima, e incluso olvidó muchas frases.

Violet, en cambio, actuó incluso mejor que la primera vez. El tiempo que había pasado en el observatorio le había impedido pensar en la prueba, y ahora estaba muy *tranquila*.

Al final, los profesores no tenían ninguna duda: ¡el papel de Julieta era para Violet!

Durante las semanas siguientes, prepararon el escenario y confeccionaron el vestuario de los actores.

Todos los alumnos hicieron algo: **PINTAR** decorados, elegir la MÚSICA, montar las luces…

En definitiva, todo el mundo en la universidad *colaboró* para que el espectáculo fuera un éxito.

Las Chicas Vanilla también estuvieron muy ocupadas: les encargaron que escribieran unos FOLLETOS con un breve resumen de la historia de Romeo y Julieta, para los espectadores que no la conocieran…

No era lo que a Vanilla le habría gustado hacer, pero de todos modos lo hizo.

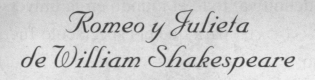

Romeo y Julieta
de William Shakespeare

La tragedia está ambientada en Verona (Italia),
a finales del siglo XVI. Romeo y Julieta son dos
jóvenes que pertenecen a familias enemistadas.
Sin saber quiénes son, se conocen en un baile
de disfraces y se enamoran perdidamente.
En una romántica noche de luna, Julieta se
asoma al balcón de su dormitorio, y Romeo
se le declara apasionadamente. Cuando
descubren a qué familias pertenecen,
comprenden que nadie aprobará su amor,
por lo que deciden casarse en secreto, con la
ayuda de algunos amigos. Pero eso sólo traerá
problemas y, al final, Romeo y Julieta deberán
enfrentarse a un doloroso destino.

¡BRAVOOO! ¡Biiis!

Por fin llegó la noche de la función.

El Aula Magna estaba llena de espectadores.

Violet buscó con la **MIRADA** a Colette, Pamela, Nicky y Paulina, sentadas en la primera fila, listas para aclamar a su amiga. Las chicas agitaron los brazos para darle muchos ánimos.

—¡ÁNIMO, VIOLET! ¡ERES LA MEJOR!

Pamela dijo a voz en grito y silbó para alentarla.

La profesora Rattcliff, que estaba sentada muy cerca, se sobresaltó y le lanzó una severa mirada:

—¡Chist! ¡Silencio!

Al cabo de unos minutos, las luces se apagaron y empezó la función.

Los actores lo hicieron muy bien. A unos pocos los traicionaron los nervios y tuvieron que improvisar algunas frases… pero nadie del PÚBLICO se dio cuenta.

Cuando Vik y Violet salieron a escena, los espectadores se sintieron transportados a un mundo magico, y todos tuvieron la impresión de hallarse realmente frente a Romeo y Julieta, que se amaban e intentaban estar juntos sin conseguirlo.

Al final de la obra, todos prorrumpieron en mil APLAUSOS, y las chicas del Club de Tea se abrazaron, exultantes.

Al finalizar, incluso Vanilla aplaudió. Sentía envidia de Violet, y le habría gustado estar en su lugar, pero tenía que admitir que había actuado muy bien.

Los actores salieron a saludar, conmovidos.

¡Fue un auténtico triunfo!

Sin duda,

¡el teatro es algo mágico!